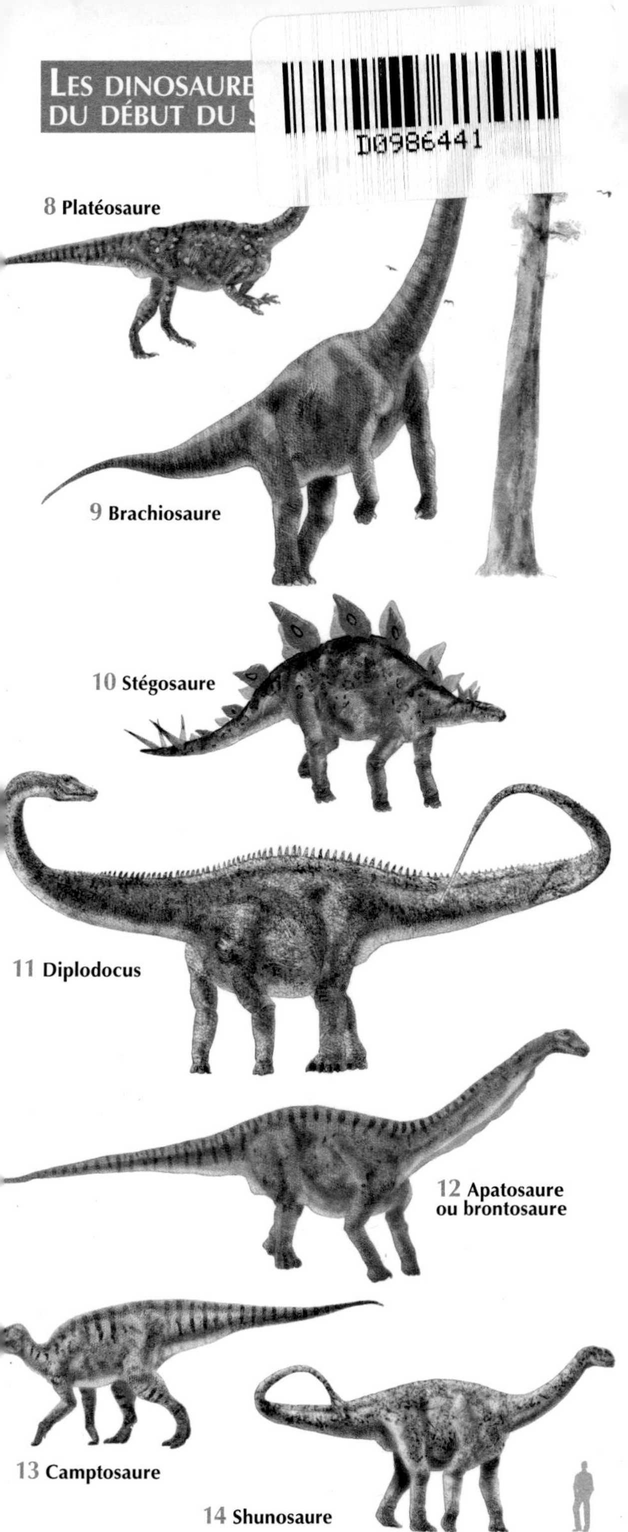
LES DINOSAURE
DU DÉBUT DU S
8 Platéosaure
9 Brachiosaure
10 Stégosaure
11 Diplodocus
12 Apatosaure
ou brontosaure
13 Camptosaure
14 Shunosaure

29 **Caudipteryx**

30 **Deinonychus**

31 **Carnotaure**

32 **Tyrannosaure**

33 **Oviraptor**

34 **Gallimimus**

35 **Tarbosaure**

LES DINOSAURES CARNIVORES DU DÉBUT DU SECONDAIRE

22 Cœlophysis

23 Éoraptor

24 Herrerasaure

25 Dilophosaure

26 Cératosaure

27 Élaphrosaure

28 Allosaure

Les dinosaures herbivores de la fin du Secondaire

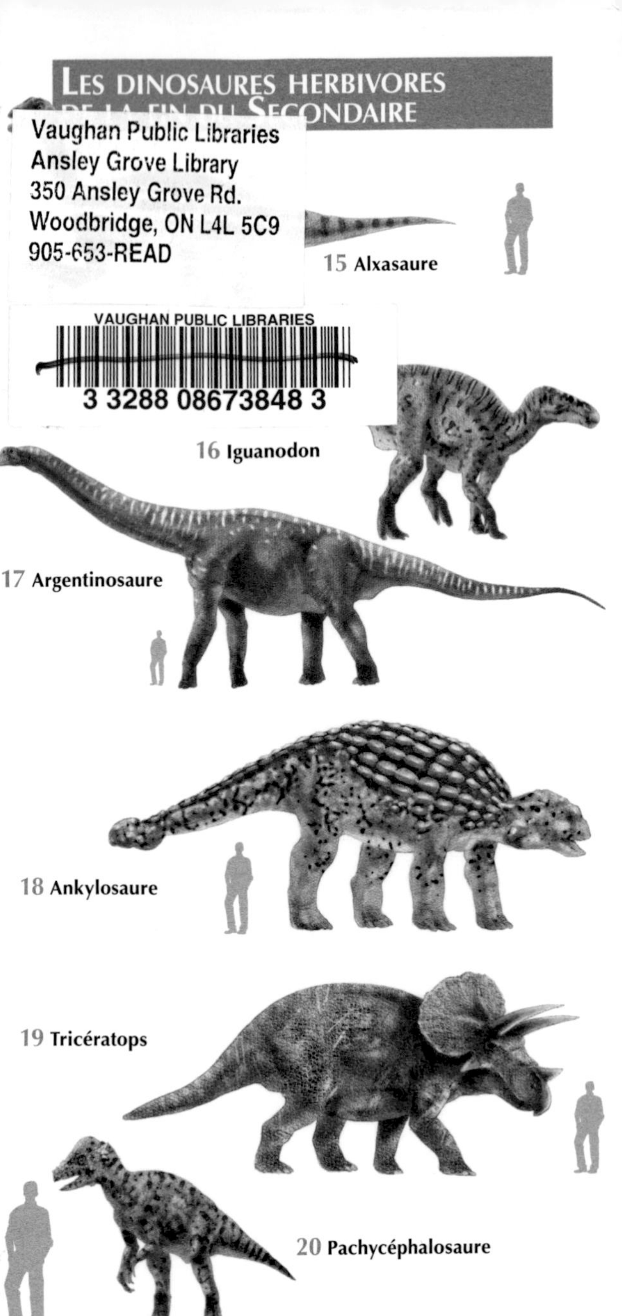

Introduction

La fiction confond fréquemment les animaux préhistoriques, comme le mammouth ou l'ours des cavernes (44, 47), mammifères que nos ancêtres de la période Paléolithique (env. – 3 millions d'années à env. – 12000 ans) ont connu et probablement grandement aidé à exterminer, et les dinosaures. Dans l'état actuel de nos connaissances, il est possible d'affirmer que jamais un être humain n'a vu un dinosaure vivant. L'échelle de temps n'est pas comparable. Les fossiles les plus récents de dinosaures reposent dans des couches rocheuses remontant à 65 millions d'années. Depuis, aucune trace indiquant que quelques espèces auraient pu survivre au-delà n'a été trouvée. L'homme moderne est apparu il y a quelques centaines de milliers d'années, les hominidés il y a 5 millions d'années environ. Le fossé est trop large pour imaginer une cohabitation. Ce n'est que par la magie de l'écriture, comme dans le roman *Le Monde perdu (The Lost World,* 1912), d'Arthur Conan Doyle, ou des trucages, comme dans le film *Jurassic Park* (1993), de Steven Spielberg, que nous pouvons voir se croiser, et souvent s'affronter, hommes et dinosaures.

L'ère Primaire ou les débuts timides de la vie sur Terre

Comparée à l'Univers, âgé de 13 milliards d'années environ, notre planète Terre apparaît comme une jeunette avec seulement 4,5 milliards d'années écoulées depuis sa formation. Son orbite particulière autour du Soleil, autorisant la présence d'eau liquide grâce à une atmosphère protectrice, a permis l'apparition de la vie il y a environ 3,5 milliards d'années. Pendant près de 3 milliards d'années, période que les spécialistes appellent le Précambrien, cette vie est restée très modeste, unicellulaire. Mais son influence a été considérable sur la structure de l'atmosphère terrestre, car c'est elle qui a favorisé l'accumulation d'une quantité suffisante d'oxygène pour nous permettre de vivre aujourd'hui.

Il y a 540 millions d'années environ, une évolution fondamentale se produit. Les premiers êtres composés de nombreuses cellules, appelés pour cette raison pluricellulaires, apparaissent. C'est ce que les spécialistes appellent la révolution du Cambrien, une période géologique qui inaugure la première des grandes ères définies sur la base des fossiles, l'ère Primaire ou Paléozoïque.

Il y a 410 millions d'années, au milieu de l'ère Primaire et au début de la période du Dévonien, commence la conquête par les êtres vivants des continents émergés. Jusqu'alors, la vie restait confinée aux mers et océans, et parfois aux eaux douces. À cette époque, des poissons amphibies – capables de vivre à la fois dans l'eau et à l'air – conquièrent la terre ferme : les premiers amphibiens apparaissent.

Au Carbonifère, entre 360 et 295 millions d'années, se forment la plupart des gisements actuels de charbon. Amphibiens et insectes dominent sur la terre ferme, mais les premiers reptiles sont déjà apparus.

C'est au Permien, entre 295 et 245 millions d'années, qu'ils vont se développer en différents groupes spécialisés, coloniser la terre, les airs et les eaux et devenir peu à peu la forme de vie dominante. À la fin du Permien intervient une phase d'extinction massive, avec notamment la disparition des trilobites, arthropodes marins apparus au début du Cambrien. Les géologues terminent l'ère Primaire avec cette extinction de la fin du Permien.

L'ÈRE SECONDAIRE : L'ÂGE DES DINOSAURES

Il y a 245 millions d'années, avec le Trias, commence l'ère Secondaire ou Mésozoïque, qui est l'âge des dinosaures. Ceux-ci vont en effet rapidement se développer et se diversifier, demeurant la forme de vie dominante sur les terres émergées durant cent quatre-vingts millions d'années.

Le Jurassique commence il y a 205 millions d'années, les reptiles sont alors les maîtres partout. Sur terre avec les dinosaures, dans les airs avec les ptérosaures, dans les mers avec les ichtyosaures (6). Un groupe de dinosaures se lance lui aussi à la conquête des airs à cette époque, promis à un grand avenir puisque ses descendants sont les oiseaux actuels.

Le Crétacé commence il y a 135 millions d'années et se termine brusquement il y a 65 millions d'années, par une vague d'extinctions massives. Les dinosaures sur terre, les ammonites dans les mers, deux formes de vie très diversifiées et très abondantes, disparaissent. Collision d'une météorite avec la Terre ? Période de volcanisme particulièrement actif ? Les explications sont encore discutées, mais l'ère Secondaire se termine à cette date.

L'ÈRE TERTIAIRE : LA DOMINATION DES OISEAUX ET DES MAMMIFÈRES

L'ère Tertiaire ou Cénozoïque commence il y a 65 millions d'années avec le Paléocène. La disparition des dinosaures et de la majorité des reptiles laisse le champ libre à deux groupes qui vont largement se diversifier et dominent encore aujourd'hui la vie sur les terres émergées : oiseaux et mammifères.

À l'Éocène, il y a 53 millions d'années, cette diversification aboutit à des oiseaux carnivores géants sur terre, à des chauves-souris colossales dans les airs, à des baleines immenses dans les mers. À l'Oligocène, qui débute il y a 34 millions d'années, les mammifères prennent nettement le pas sur les oiseaux terrestres et cantonnent ceux-ci, sauf quelques exceptions, dans le domaine des airs.

Au Miocène, il y a 24 millions d'années, la plupart des animaux que nous connaissons apparaissent, bien que ce soit des espèces encore différentes de celles que nous observons actuellement. La séparation de la lignée des hommes de celle des grands singes date de cette période. Au Pliocène, il y a 3,5 millions d'années, notre planète a quasiment son visage actuel.

Traditionnellement, l'ère Tertiaire se termine au Pliocène et l'ère Quaternaire commence avec le Pléistocène, il y a 1,65 million d'années. Cette séparation entre Tertiaire et Quaternaire n'est donc pas due à des extinctions massives et à des changements brutaux de flore et de faune, comme dans les deux épisodes précédents, mais simplement au rôle de plus en plus important joué par les ancêtres de l'homme moderne, qui lui-même n'apparaît qu'il y a 100000 ans (au Paléolithique). La durée de notre présence sur Terre n'est rien comparée à la durée de l'évolution de la vie !

L'ÉCHELLE DES TEMPS GÉOLOGIQUES EN CONSTANTE ÉVOLUTION !

Vous serez peut-être surpris par les échelles de temps mentionnées ici, qui ne correspondent pas à celles que vous pourrez trouver dans d'autres livres. Il faut savoir que les géologues ont d'abord donné des échelles de temps relatives (la période du Carbonifère est antérieure au Trias, le Miocène est postérieur au Jurassique), puis avec l'évolution de la science et de ses techniques, ils ont donné des dates dont la précision s'affine régulièrement. En fonction de l'époque de rédaction de l'ouvrage que vous consultez, ces dates peuvent varier assez sensiblement.

PREMIERS FOSSILES, PREMIÈRES INTERPRÉTATIONS

Longtemps, les hommes ont cru que les fossiles, notamment les plus gros d'entre eux, étaient soit la preuve de l'existence d'animaux mythiques, comme les dragons en Chine, soit la trace d'une catastrophe antérieure assez récente, comme le déluge dans la tradition judéo-chrétienne. À partir du XVIIIe siècle, les savants ont compris que les fossiles, restes d'animaux pétrifiés, appartenaient à des représentants d'espèces vivantes morts depuis très longtemps et conservés dans de l'argile ou des sédiments peu à peu comprimés et durcis.

Une déduction simple, une couche qui se trouve sous une autre est plus éloignée de nous dans le temps, a permis d'établir la première chronologie des temps géologiques. C'est à elle que nous devons ces termes si poétiques ou si compliqués : Ordovicien, Carbonifère, Jurassique, Crétacé ou encore Pliocène. Ces noms ont été donnés en fonction des lieux où ces couches ont été décrites pour la première fois (Ordovicien vient des Ordovices, une tribu celte qui habitait le pays de Galles au temps des Romains ; Permien, de la ville de Perm en Russie ; Jurassique, de la chaîne de montagnes du Jura), de leurs caractéristiques géologiques (Carbonifère fait référence aux gisements de charbon ; Crétacé évoque les épaisses couches de craie de certaines falaises) ou de l'âge de ces couches (Pliocène signifie « plus récent » en grec et s'applique à la plus récente des périodes de l'ère Tertiaire).

Une autre idée simple, des couches situées dans des régions différentes, voire sur des continents différents, mais contenant des assemblages d'espèces fossiles identiques ou presque, datent de la même époque, a permis de comprendre comment le visage de la Terre a évolué dans le temps. En effet, les couches jurassiques ne se trouvent pas que dans le Jura, mais aussi en Asie, en Afrique, en Amérique. L'étude de ces correspondances a permis notamment de comprendre, grâce au météorologue allemand Alfred Wegener, que les continents actuels n'ont pas toujours eu la place relative qu'ils occupent les uns par rapport aux autres. Séparés durant l'ère Primaire, ils se sont télescopés en un continent unique, la Pangée, au cours du Secondaire, pour se séparer de nouveau et aboutir à la situation actuelle. Ils continuent de bouger, nous en avons la preuve par les tremblements de terre et les mesures de précision par satellite. Mais aucun effet n'est visible à l'échelle d'une vie humaine. L'Amérique et l'Europe, autrefois contiguës, continuent de se séparer de quelques centimètres par an, cela n'a cependant pas de répercussion sur la durée des voyages transatlantiques !

Les fossiles ne servent pas seulement à comprendre et à dater l'évolution de la Terre. Ils nous donnent une photographie partielle, mais riche d'enseignements, de l'histoire de la vie sur notre planète. Plus nous remontons dans le temps, plus les formes de vie sont simples et primitives. C'est une preuve parmi bien d'autres, mais essentielle, de la justesse de la théorie de l'évolution.

MÉTIER : PALÉONTOLOGUE

Les paléontologues font un travail ingrat. Ils découvrent les animaux disparus sous forme de traces très partielles et parfois obscures. Sauf conditions exceptionnelles, seules les parties dures sont conservées, souvent en trois dimensions mais parfois seulement sous forme d'empreinte plane du fait de la compression subie par les roches en formation. Parfois, seule une partie du corps a survécu : certaines espèces fossiles ont été décrites à partir d'une seule dent ! Toute la science – pour ne pas dire l'art – des paléontologues repose sur leur capacité à reconstruire un corps, à reconstituer un mode de vie, un milieu, un comportement, à partir de faibles indices laissés dans la pierre. Il s'agit là d'un travail très proche de celui de la police scientifique.

Certains de ces indices sont si ténus qu'ils peuvent susciter des interprétations très différentes, voire contradictoires. C'est pourquoi des débats si vifs animent la communauté scientifique, et qu'une vérité d'aujourd'hui peut être une erreur de demain si une nouvelle découverte la remet en cause.

Le travail du paléontologue repose sur une utilisation judicieuse de l'anatomie comparée. En comparant un simple fragment d'un animal, une dent par exemple, aux dents des animaux actuellement vivants, il va pouvoir dire s'il s'agit d'un mammifère ou d'un reptile. Mieux, s'il s'agit d'un mammifère, il pourra dire si c'est une dent d'herbivore, de rongeur, d'insectivore, de carnivore ou de primate. C'est ainsi que le savant français Cuvier a permis d'interpréter les premiers fossiles au début du XIXe siècle. Aujourd'hui, les paléontologues travaillent surtout en comparant leurs découvertes avec d'autres fossiles, mais le principe reste le même.

C'est aussi l'anatomie comparée qui permet, une fois le squelette remonté en trois dimensions, de reconstituer les muscles et leur forme en fonction de la place des attaches, et donc la forme et la silhouette de l'animal. Le plumage, le pelage, rarement conservés, sont imaginés à partir d'espèces actuelles, tout comme les couleurs. Les images que vous trouverez dans les planches ne sont donc que des reconstitutions de ces animaux disparus, pas toujours des images fidèles. Seules exceptions : quelques espèces préhistoriques que nous connaissons par des dessins dans les grottes ornées ou par des exemplaires trouvés congelés en Sibérie ou momifiés dans des flaques de goudron en Californie.

L'anatomie comparée permet également d'essayer de comprendre quel était par exemple le régime alimentaire

WILLIAM SMITH ET LA NAISSANCE DE LA STRATIGRAPHIE

William Smith était un ingénieur qui travaillait à la fin du XVIIIe siècle à la construction de canaux en Angleterre. Son travail consistait notamment à étudier les couches de terrain, et il était amené à parcourir son pays dans tous les sens au gré des projets. C'est ainsi qu'en 1799, mettant en ordre ses multiples observations, il a compris le premier que l'étude des couches de terrain pouvait donner des informations temporelles sur l'histoire de la Terre. Il s'était en effet aperçu que chaque couche de terrain d'un endroit précis renfermait un assemblage de fossiles différents de ceux trouvés dans la couche du dessus ou dans celle du dessous. Mais une couche située à plusieurs centaines de kilomètres pouvait montrer le même assemblage. Il en a donc conclu qu'à chaque couche correspondaient une flore et une faune particulières qui s'étaient succédé dans le temps. Et que deux couches abritant les mêmes fossiles dataient de la même époque. Il fondait ainsi une nouvelle science : la stratigraphie.

d'un animal. Pour reprendre l'exemple de la dent, s'il s'agit d'une molaire, en fonction de sa forme et de son usure, le chercheur pourra dire s'il se trouve en présence d'un carnivore, d'un omnivore, d'un herbivore, consommant plutôt du feuillage tendre ou des tissus végétaux coriaces, etc.

Le mode de vie des animaux disparus peut aussi être déduit d'autres traces fossilisées : marques de prédation sur les os, empreintes isolées ou pistes, crottes, voire contenu de l'estomac, etc. Croisées avec les autres restes trouvés sur place (animaux et végétaux), et selon la manière dont s'est opérée la fossilisation, ces informations permettront au paléontologue d'avancer des certitudes, ou simplement des hypothèses, sur le mode de vie, le mode de chasse, le comportement de défense d'une espèce, sur le milieu qu'elle fréquentait, le climat qui y régnait, etc.

Comment se forme un fossile ?

Quand un animal meurt, il a une chance infime de terminer sous forme de fossile. Son cadavre est en effet une ressource alimentaire intéressante pour de nombreux autres êtres vivants. Le recyclage est une pratique très répandue dans la nature. Même si quelques restes subsistent, le piétinement par d'autres animaux, l'exposition au soleil, au gel, à la pluie, etc., peuvent rapidement finir de les détruire. Pour qu'un cadavre se fossilise, il doit bénéficier d'un concours de circonstances lui permettant d'échapper à ces innombrables causes de destruction. C'est le cas par exemple lorsqu'un animal meurt embourbé, ou bien lorsque son cadavre est recouvert par de la boue charriée par une crue, par du sable ou de la poussière charriés par du vent, par des cendres répandues par une éruption volcanique, par de la glace, etc. Les cas les plus intéressants pour le paléontologue, mais les plus rares, conservent l'animal entier, avec son volume, ses parties périssables (plumes, poils, chairs...) et parfois ses couleurs. Les insectes emprisonnés dans l'ambre, les mammifères englués dans des mares de goudron ou congelés dans le sous-sol sibérien en sont les exemples les mieux connus.

Le plus souvent, cette protection par la boue, le sable, les cendres, n'empêche pas le pourrissement, puis la disparition des parties molles. Elles subsistent quelquefois sous la forme d'un voile de résidus de carbone qui forme une trace, ou bien d'un moulage quand les sédiments étaient très fins. C'est ainsi que nous connaissons les membranes servant d'ailes chez certains fossiles de ptérosaures ou les plumes de l'archéoptéryx (36). Parfois, la pellicule protectrice durcit suffisamment vite pour que la disparition des chairs molles laisse un creux, véritable moule de l'animal disparu. Il suffit alors de remplir ce moule de plâtre ou de résine pour obtenir une reproduction en positif. La nature s'est souvent chargée du travail, et le creux a été comblé par des sels déposés par les eaux infiltrées. Le fossile est alors extérieurement la copie conforme de son modèle, mais aucune structure intérieure n'a survécu. Les scientifiques appellent ces moulages naturels des pseudomorphes.

Mais le plus souvent, seules les parties dures résistent, bien qu'elles puissent être déformées par l'écrasement qui résulte de l'accumulation des sédiments au fil du temps. Le matériau d'origine qui les compose disparaît lentement, peu à peu dissous. Il est remplacé par des molécules minérales migrant de la roche en formation qui entoure le fossile, ou apportées par les eaux souterraines. Ce processus est si graduel que la structure interne des parties fossilisées est souvent bien conservée. Sur un os pétrifié, par exemple, il est possible de voir, en le sciant en deux, les parties cartilagineuses, les parties osseuses, le canal médullaire.

Un peu d'étymologie

Les scientifiques ont classé les dinosaures dans des groupes (ordres, familles...) dont le nom peut évoquer des particularités physiques de l'animal ; voici un petit glossaire utile pour s'y retrouver.

Ankylosaurien : du grec *ankylosis*, « courbure », et *saura*, « lézard ».
Archéornithe : du grec *archeon*, « ancien », et *ornithos*, « oiseau ».
Cératopien : du grec *ceras*, « corne », et *ops*, « vue ».
Créodonte : du grec *creas*, « chair », et *odontos*, « dent ».
Crocodilien : du latin *crocodilus*, « crocodile ».
Édenté : sans dent.
Équidé : du latin *equus*, « cheval ».
Gruiforme : du latin *grus*, « grue ».
Ichtyorniforme : du grec *ichthys*, « poisson », et *ornithos*, « oiseau ».
Labyrinthodonte : du grec *labyrinthos*, « labyrinthe », et *odontos*, « dent ».
Ongulé : du latin *ungula*, « ongle ».
Ornithopode : du grec *ornithos*, « oiseau », et *podos*, « pied ».
Plésiosaurien : du grec *plesios*, « proche », et *saura*, « lézard ».
Proboscidien : du latin *proboscis*, « trompe ».
Prosauropode : du grec *pro*, « précédent », *saura*, « lézard », et *podos*, « pied ».
Ptérosaurien : du grec *pteron*, « aile », et *saura*, « lézard ».
Sauropode : du grec *saura*, « lézard », et *podos*, « pied ».
Ségnosaurien : du latin *segnis*, « lent », et du grec *saura*, « lézard ».
Stégosaurien : du grec *stegos*, « toit ou abri », et *saura*, « lézard ».
Struthiornithoforme : du grec *struthio*, « autruche », et *ornithos*, « oiseau ».
Synapside : du grec *syn*, « avec », et *aptein*, « joindre ».
Théropode : du grec *theros*, « bête sauvage », et *podos*, « pied ».

Identification

Les ancêtres et les cousins des dinosaures

1 Ichtyostéga
(batracien labyrinthodonte)

Découvert dans les couches du Dévonien supérieur de l'est du Groenland, il vivait il y a environ 370 millions d'années. Massif, mesurant environ 1 m de long, ce lointain cousin des grenouilles et des tritons vivait comme eux dans l'eau ou près de l'eau. Il a gardé de ses ancêtres poissons une petite nageoire soutenue par des rayons sur la queue, ainsi que des écailles sur le ventre et la queue. Bon nageur grâce à sa nageoire, l'ichtyostéga pondait ses œufs dans l'eau, où se développaient ses têtards, mais il pouvait s'aventurer sur la terre ferme grâce à ses 4 pattes. Dirigées vers le dehors du corps, elles lui conféraient une démarche lourde et gauche, le corps devant fortement osciller d'un côté à l'autre.

2 Seymouria
(batracien labyrinthodonte)

Le seymouria est bien plus jeune que l'ichtyostéga (1), puisqu'il vivait au Permien inférieur il y a environ 280 millions d'années, et sa taille est plus modeste. Il ne mesurait en effet que 60 cm de long, conséquence de l'apparition de prédateurs ayant entraîné la disparition des espèces les plus grandes, mais également les plus lourdes et les moins agiles. Aussi s'était-il beaucoup affranchi du milieu aquatique, menant une vie uniquement terrestre à l'état adulte. Son squelette présente d'ailleurs des caractères reptiliens marqués, et il a été considéré au début comme un reptile, avant la découverte de fossiles de jeunes individus montrant leur adaptation à la vie aquatique.

3 Moschops
(reptile synapside)

Reptile herbivore long de 5 m, le moschops vivait en Afrique du Sud il y a environ 260 millions d'années. Il appartient au vaste groupe des synapsides, ancêtres des mammifères avec lesquels il partage des caractéristiques très particulières des os du crâne. Ses puissantes mâchoires étaient garnies de nombreuses dents pointues pour brouter les plantes aux tissus parfois coriaces. Son crâne montre un front aux os très épaissis. Les paléontologues pensent qu'il se défendait en donnant des coups de tête, et probablement les mâles combattaient-ils pour la domination du troupeau en se heurtant front contre front, comme les béliers d'aujourd'hui.

4 Ptérodactyle

(reptile ptérosaurien)

Les ptérodactyles peuplaient les airs de l'Europe et de l'Afrique au Jurassique supérieur, il y a environ 160 millions d'années. Des fossiles ont en effet été trouvés aussi bien en Allemagne, au Royaume-Uni et en France qu'en Tanzanie. Contrairement aux idées reçues, ce n'est pas un dinosaure, mais un reptile volant. Les ptérosaures furent les premiers vertébrés à conquérir les airs, grâce à une élongation importante de l'un des doigts des pattes avant et au développement de membranes attachées aux membres antérieurs et postérieurs. Les ptérodactyles vivaient près de la mer et voletaient sur de courtes distances pour pêcher des poissons grâce à leurs minces mâchoires garnies de nombreuses dents pointues.

5 Élasmosaure

(reptile plésiosaurien)

À la même époque que les ptérodactyles (4), il y a 160 millions d'années, les plésiosaures régnaient en maîtres dans les océans. L'élasmosaure, qui a été trouvé au Japon et en Amérique du Nord, est certainement le plus remarquable d'entre eux, avec son long cou, 8 m, qui mesure à lui seul plus de la moitié de la longueur totale du corps, de 14 m. Composé de 71 vertèbres cervicales, il était très flexible. Les paléontologues pensent que l'animal nageait à la surface de la mer en pagayant avec ses 4 pattes transformées en nageoires aplaties, et qu'il capturait ses proies – poissons et gros invertébrés – en plongeant sa tête sous l'eau, à la manière des cygnes actuels.

6 Ichtyosaure

(reptile ichtyosaurien ; jusqu'à 10 m de long)

Entre 200 et 120 millions d'années, d'autres reptiles marins au corps fuselé comme des dauphins et grands chasseurs de poissons peuplaient les eaux peu profondes des mers et des océans : les ichtyosauriens. Le représentant le plus connu appartient au genre *Ichtyosaurus*. Des centaines de squelettes complets ont été découverts dans un gisement exceptionnel du sud de l'Allemagne : une pierre au grain si fin que la forme du corps et les nageoires ont été conservées. Le ventre de certaines femelles contenait des squelettes d'embryons, et quelques-unes ont été surprises par la mort en train d'accoucher d'un petit vivant. Elles étaient donc ovovivipares, l'œuf se développant dans le corps de la mère.

7 Deinosuchus

(reptile crocodilien)

Vivant il y a environ 75 millions d'années, le deinosuchus est un reptile très proche des crocodiles actuels. Ces derniers peuvent d'ailleurs être considérés comme des fossiles vivants, puisque presque inchangés depuis cette date et surtout seuls survivants actuels des reptiles archosaures, qui rassemblaient aussi les dinosaures et les ptérosaures. Le deinosuchus vivait dans les marais d'Amérique du Nord, capturant à l'affût les dinosaures de passage à sa taille, comme les crocodiles actuels s'attaquent aux gnous et aux antilopes. Il en avait la capacité, avec un crâne de plus de 2 m pour une longueur totale de plus de 15 m.

Les dinosaures herbivores du début du Secondaire

8 Platéosaure

(dinosaure prosauropode)

Apparus il y a environ 280 millions d'années, les dinosaures prosauropodes se distinguent par leur taille modeste, qui atteint 10 m au plus et seulement chez quelques espèces. Les fossiles de platéosaure ont été trouvés en nombre dans les gisements du Trias supérieur d'Europe de l'Ouest. Certains paléontologues pensent pour cette raison qu'ils vivaient en hordes. D'autres estiment qu'ils menaient une vie solitaire dans des zones semi-désertiques et que les ossements ont été rassemblés par le ruissellement des eaux lors de pluies rares mais violentes. Long de 7 m, pouvant se dresser sur ses grandes pattes arrière et tendre son long cou, il devait brouter le feuillage des arbres grâce à ses nombreuses petites dents.

9 Brachiosaure

(dinosaure sauropode)

Le brachiosaure vivait il y a environ 160 millions d'années, au Jurassique supérieur, en Amérique du Nord et en Afrique. C'est le plus grand des animaux terrestres dont un squelette complet existe. Il mesurait 23 m de long pour une hauteur estimée à près de 13 m. Son poids avoisinait 90 t. Par comparaison, l'éléphant, le plus gros des animaux terrestres actuels, ne pèse au mieux que 6 ou 7 t. Le brachiosaure avait probablement un mode de vie semblable à celui des girafes actuelles. Son long cou, qui compte pour plus de la moitié de la hauteur de l'animal, ses pattes avant plus grandes que les pattes arrière, lui permettaient d'atteindre le feuillage plus riche du sommet des arbres, inaccessible aux autres herbivores.

10 Stégosaure

(dinosaure stégosaurien)

À la même époque que le brachiosaure (9), le stégosaure vivait également en Amérique du Nord. C'est le représentant le plus célèbre, et le plus grand, des stégosauriens, aussi appelés dinosaures à armure. Une double rangée de larges plaques osseuses garnissait en effet son cou, son dos et sa queue. Cette dernière était munie à son extrémité de 4 grosses pointes acérées la transformant en une arme redoutable. Le stégosaure pouvait atteindre presque 10 m de long, et les plus grosses plaques mesuraient 60 cm de haut, mais sa tête était minuscule, abritant un cerveau de la taille d'une noix. Protégé par son blindage, il devait passer son temps à brouter l'herbe ou les branches basses des arbres.

11 Diplodocus

(dinosaure sauropode)

Le plus célèbre des dinosaures végétariens vivait il y a 200 millions d'années environ, au Jurassique inférieur, en Amérique du Nord. Sa célébrité est due au fait qu'il fut découvert au XIXe siècle par une expédition financée par le milliardaire Andrew Carnegie, qui fit réaliser des moulages en plâtre du squelette, offerts ensuite aux principaux musées d'histoire naturelle du monde. Long de 26 m, il ne pesait que 10 t car le cou et la queue représentent les trois quarts de cette longueur. Il broutait certainement la couronne des arbres les plus hauts, jusqu'à 15 m environ. Les scientifiques pensent qu'il pouvait se redresser en partie, prenant appui sur les 2 pattes arrière et la queue.

12 Apatosaure ou brontosaure

(dinosaure sauropode)

Autrefois connu sous le nom de brontosaure, l'apatosaure est un contemporain du diplodocus (11). Il vivait dans les mêmes régions à la même époque. Un peu moins long que le diplodocus, il mesurait un peu plus de 21 m ; son corps, beaucoup plus massif, atteignait le poids de 30 t. Il broutait également la couronne des arbres pour se nourrir. Ses mâchoires étaient garnies de petites dents à l'avant seulement, remplacées par de nouvelles au fur et à mesure qu'elles s'usaient. L'animal se défendait soit en se servant de sa queue comme d'un fouet, soit en tentant de piétiner son agresseur. Mais il restait quand même vulnérable. Des os ont été trouvés portant des marques de dents d'allosaure (28), son prédateur.

13 Camptosaure (dinosaure ornithopode ; 7 m de long et 2 m de haut)

Vivant il y a environ 150 millions d'années, au Jurassique supérieur, à une époque où l'océan Atlantique ne s'était pas encore formé, le camptosaure se rencontrait aussi bien en Amérique du Nord qu'en Europe. C'est un représentant primitif des dinosaures à bec de canard. Son museau était en effet très allongé et ses mâchoires sans dents à leur extrémité formaient une sorte de bec. Il pouvait ainsi pincer le feuillage et l'arracher avant de le mâcher puis de l'avaler. Ses pattes arrière étaient longues et musclées, terminées par 3 doigts aux griffes en forme de sabot. Les pattes avant, plus courtes, étaient aussi munies de sabots, ce qui prouve que l'animal, bipède pour brouter, pouvait se déplacer à quatre pattes.

14 Shunosaure

(dinosaure sauropode)

Si l'Europe et l'Amérique n'étaient pas encore totalement séparées au Jurassique supérieur, l'Asie resta isolée à cette époque durant 50 millions d'années environ, ce qui amena l'apparition d'une faune originale. Vivant dans ce qui est la Chine actuelle il y a 170 millions d'années environ, au Jurassique moyen, le shunosaure est de taille modeste comparé à ses cousins américains, environ 10 m de long tout de même. Lui aussi devait brouter le feuillage, mais seulement des arbustes et des arbres bas, étant donné sa hauteur limitée. Sa longue queue servait certainement de fouet défensif, car 3 petites pointes osseuses ornaient son extrémité.

LES DINOSAURES HERBIVORES DE LA FIN DU SECONDAIRE

15 Alxasaure
(dinosaure ségnosaurien)

Vivant en Chine il y a 120 millions d'années environ, long de 7 ou 8 m, l'alxasaure appartient à un petit groupe, les ségnosauriens, dont le mode de vie est discuté. Les squelettes ayant été découverts dans les sédiments de rivières et de lacs, certains paléontologues ont avancé l'hypothèse qu'ils étaient prédateurs de poissons et qu'ils menaient une vie amphibie. Des études plus récentes ont montré que leur dentition était plutôt adaptée pour brouter et mâcher des tissus végétaux tendres. L'alxasaure était un animal plutôt lent, à la stature bipède bien qu'il puisse se déplacer à quatre pattes, broutant le feuillage des arbustes et des arbres bas.

16 Iguanodon
(dinosaure ornithopode)

L'iguanodon est le plus célèbre des dinosaures européens, depuis la découverte en 1877 de nombreux squelettes lors du creusement d'une mine de charbon à Bernissart, en Belgique. Mais il vivait aussi en Afrique, en Asie et en Amérique du Nord, il y a 120 millions d'années environ. Long de 9 m, haut de 5 m, il pesait entre 4 et 5 t. L'iguanodon vivait en troupeaux qui se déplaçaient dans une région au climat alors tropical, broutant la végétation basse des endroits humides – prêles et fougères principalement. S'il pouvait se tenir dressé sur ses pattes arrière pour brouter au besoin une végétation plus haute, l'iguanodon, contrairement à ce que les reconstitutions les plus anciennes laissent supposer, marchait le plus souvent à quatre pattes et n'était pas bipède.

17 Argentinosaure
(dinosaure sauropode)

L'Amérique du Sud n'a pas une réputation de terre à dinosaures et, pourtant, certaines des espèces les plus grosses ont été trouvées là-bas, tel l'argentinosaure. Comme son nom l'indique, il vivait dans ce qui est aujourd'hui l'Argentine, il y a 100 millions d'années environ. Seuls quelques os des pattes et quelques vertèbres ont été retrouvés, mais ils sont de dimension impressionnante. En se fondant sur eux, les paléontologues supposent que cette gigantesque espèce était probablement plus grande encore que le brachiosaure (9), mais la preuve – la découverte d'un squelette complet – manque encore. Il devait pouvoir brouter de très hauts arbres.

18 Ankylosaure
(dinosaure ankylosaurien)

L'ankylosaure fait partie des derniers dinosaures, ceux qui ont brusquement disparu il y a 65 millions d'années, laissant la place aux mammifères. Il vivait en Amérique du Nord et était le plus grand des ankylosauriens connus. Son squelette était massif et sa taille atteignait 10 m de long. Son poids devait avoisiner 3,5 t. Son corps aplati, mesurant jusqu'à 5 m de large, était protégé par une lourde armure osseuse, plaques ovales juxtaposées et enchâssées dans la peau, du sommet de la tête ornée d'épines à l'extrémité de la queue terminée en lourde massue. Attaqué, ce placide végétarien devait se plaquer au sol et lancer sa queue contre l'agresseur.

19 Tricératops
(dinosaure cératopien)

Les cératopiens sont aussi appelés « dinosaures à cornes », et le tricératops est le plus connu d'entre eux. Il vivait à la même époque et au même endroit que l'ankylosaure (18). L'animal mesurait 9 m de long pour un poids estimé à plus de 10 t. Son crâne seul, au blindage impressionnant, atteignait 2 m de long. Une courte corne nasale et 2 longues cornes frontales étaient prolongées en arrière par une collerette protégeant le cou. En revanche, le reste du corps était sans défense. Cela suggère que les tricératops vivaient en troupeaux et qu'ils se mettaient en cercle pour se défendre, à la manière des bœufs musqués actuels, présentant un rempart défensif difficile à percer. Les mâles se battaient probablement entre eux pour la conquête des femelles.

20 Pachycéphalosaure
(dinosaure ornithopode)

Seul le crâne de ce dinosaure est connu. Il mesurait 60 cm de long et était surmonté d'un immense dôme, formé d'os très solides, certains épais de 25 cm. C'était en quelque sorte un casque de protection, destiné à absorber des chocs violents qui, sinon, auraient pu abîmer le cerveau. Les paléontologues pensent que les mâles devaient se battre en combats frontaux, comme les moutons actuels, mais les cornes en moins. Le pachycéphalosaure vivait il y a 65 millions d'années en Amérique du Nord et il s'est éteint parmi les derniers dinosaures.

21 Parasaurolophus
(dinosaure ornithopode)

Cette espèce nord-américaine disparue il y a 65 millions d'années fait partie des dinosaures à bec de canard. Ils doivent leur nom à l'avancée des mâchoires en un vaste bec aplati et édenté à l'avant, faisant penser à celui de certains canards. L'arrière des mâchoires était garni de nombreuses dents à remplacement continu, leur permettant de broyer le feuillage des plantes dont ils se nourrissaient. Les pattes avant étaient plus courtes, mais munies, comme les pattes arrière, de sabots. Le parasaurolophus se distingue de ses congénères par une crête, os creux de plus de 1,80 m de long prolongeant l'arrière du crâne. Peut-être était-ce une sorte de casque pour protéger la tête quand l'animal courait dans les sous-bois épais, comme celle du casoar actuel.

Les dinosaures carnivores du début du Secondaire

22 Cœlophysis
(dinosaure théropode)

Vivant il y a 200 millions d'années environ, au Trias supérieur, en Amérique du Nord, ce dinosaure mesurait entre 2,50 et 3 m de long, ce qui le classe parmi les plus grands représentants de la famille des cœlurosaures. Il vivait en groupe, car de nombreux squelettes d'âge et de taille différents ont été trouvés au même endroit. Son corps élancé est bâti pour la course, avec des os creux allégeant son poids et préfigurant ceux des oiseaux. Les paléontologues pensent qu'il chassait en troupeaux dans les forêts, près des rivières et des lacs. Peut-être ses proies étaient-elles les premiers petits mammifères, apparus à la même époque, qui ressemblaient aux musaraignes actuelles.

23 Éoraptor
(dinosaure théropode)

Les éoraptors comptent parmi les plus anciens dinosaures carnivores connus, des spécimens ayant été découverts en Amérique du Sud dans des couches du milieu du Trias datées de 232 millions d'années. D'autres spécimens ont également été trouvés en Amérique du Nord. L'éoraptor mesurait 1 m de long pour à peine 10 kg. Son squelette est dépourvu des spécialisations qui apparaîtront plus tard dans la plupart des lignées, et ses dents sont pour une partie en forme de feuille, de type herbivore, et pour une autre partie dentelées et incurvées, de type carnivore. Il appartient donc à ces espèces qui commençaient tout juste à adopter ce nouveau régime alimentaire.

24 Herrerasaure
(dinosaure théropode)

L'herrerasaure vivait dans la même région d'Amérique du Sud que l'éoraptor (23), mais il est apparu un peu plus tard. S'il montre par rapport à son prédécesseur certains caractères très évolués, il a conservé par ailleurs des caractères primitifs. Ce mélange a conduit à des débats complexes entre spécialistes pour connaître la place exacte de l'herrerasaure dans l'arbre généalogique des dinosaures. Un consensus se dégage actuellement pour les classer avec les éoraptors parmi les dinosaures carnivores les plus primitifs. Long de 3 m, muni d'une tête relativement grande garnie de dents coniques, dentelées et tranchantes pouvant atteindre 6 cm de long, il était bien armé pour attaquer les proies à sa taille.

25 Dilophosaure
(dinosaure théropode)

Appartenant au groupe des carnosaures, qui abrite certaines des plus grandes espèces de dinosaures carnivores, le dilophosaure avait une taille modeste, 6 m de long environ. Il vivait il y a 200 millions d'années environ, au début du Jurassique, en Amérique du Nord. Son crâne est bizarre, parfois surmonté d'une paire de minces crêtes osseuses en arrondi, se rétrécissant en épine à l'extrémité, renforcées par une enflure osseuse verticale. L'utilité de cette structure est mystérieuse, encore controversée. Tous les individus ne la présentant pas, l'opinion la plus couramment acceptée par les spécialistes est une ornementation des mâles jouant un rôle dans la conquête des femelles. La fragilité de cette structure fait penser que l'animal se nourrissait soit de proies mortes, soit de proies qu'il tuait avec ses griffes et non avec ses dents.

26 Cératosaure (dinosaure théropode ; 6 m de long et 3 m de haut)

Vivant il y a 150 millions d'années environ, au Jurassique supérieur, en Amérique du Nord, le cératosaure appartient à une famille de dinosaures caractérisée par la présence d'une petite corne sur le bout du museau. Il présentait en outre une crête osseuse au-dessus de chaque œil. Ces crêtes sont trop petites pour avoir eu une fonction de défense. Peut-être jouaient-elles un rôle dans des combats entre mâles pour la conquête des femelles. Armé de 4 puissantes griffes aux petites pattes avant et de mâchoires massives garnies de dents aiguës et recourbées, ce chasseur, selon des traces fossilisées, se déplaçait en bande. Peut-être chassait-il en groupe des dinosaures végétariens plus gros que lui.

27 Élaphrosaure
(dinosaure théropode)

L'élaphrosaure vivait il y a 150 millions d'années environ, au Jurassique supérieur, en Afrique. Il mesurait 6 m de long grâce à une queue et un cou assez longs, pour un poids estimé à 200 kg seulement. Son corps est en effet très élancé et aplati latéralement. Pattes arrière coureuses et petites pattes avant sont chacune munies de 3 doigts garnis de griffes. Comme la tête n'a pas été trouvée par les paléontologues, il est difficile à classer car il semble proche d'une famille caractérisée par l'absence de dents, mais il montre par ailleurs dans certains os du bassin d'autres caractères le rapprochant d'une autre famille.

28 Allosaure
(dinosaure théropode)

Ce dinosaure vivait il y a environ 140 millions d'années, à la fin du Jurassique et au début du Crétacé, en Amérique du Nord, en Afrique et en Australie. De grande taille, 12 m de long et 4,50 m de haut pour un poids de 1 ou 2 t, c'était le plus gros représentant de sa famille.

Pour certains paléontologues, il devait être trop lourd, et donc pas assez agile, pour capturer des proies vivantes. Ils pensent que c'était un charognard. D'autres, se fondant sur le fait que des dents cassés d'allosaure ont été trouvées près d'ossements d'apatosaure (12), et que des traces qui auraient pu être faites par ces mêmes dents subsistent sur certains os, pensent que c'était un prédateur spécialisé dans la chasse aux gros dinosaures, apatosaures et peut-être diplodocus (11).

Les dinosaures carnivores de la fin du Secondaire

29 Caudipteryx
(dinosaure théropode)

Ce petit dinosaure a été découvert à l'extrême fin du XXe siècle en Chine, dans des couches du Crétacé inférieur datées de 140 millions d'années environ. Il est remarquable par sa taille minuscule, 50 cm de long pour 35 cm de haut environ, et par son corps recouvert de plumes. Celles-ci ne lui permettaient pas de voler, celles ornant les pattes avant qui auraient pu servir d'ailes étant minuscules. Ce sont en fait des écailles modifiées pour emprisonner une couche d'air autour du corps et l'isoler du milieu extérieur. Cette adaptation ne s'explique que si cet animal avait le sang chaud, comme les oiseaux et les mammifères actuels. Pour autant, ce n'est pas l'ancêtre des oiseaux.

30 Deinonychus
(dinosaure théropode)

Le deinonychus nord-américain du début du Crétacé est l'exemple classique du petit carnivore capable de s'attaquer à plus gros que lui grâce à son comportement de chasse à courre en meute. Long de 3 ou 4 m, haut de 1,80 m, il pesait environ 70 kg, soit le gabarit d'un être humain. Ses pattes avant étaient munies chacune de 3 longues griffes acérées et ses mâchoires, garnies de nombreuses dents pointues et recourbées en arrière. Le deuxième doigt des pattes arrière portait une très longue griffe acérée capable d'éventrer les proies. Cinq squelettes de deinonychus entourant un squelette de ténontosaure, herbivore de plus de 7 m de long, ont été trouvés dans le Montana, aux États-Unis.

31 Carnotaure
(dinosaure théropode)

Le carnotaure vivait il y a environ 100 millions d'années, au milieu du Crétacé, en Amérique du Sud. Fait rare, il est connu par un squelette presque complet dont il ne manque que le pied et l'extrémité de la queue. Il mesurait environ 7,50 m de long pour un poids estimé à 1 t. Il est remarquable par des pattes avant minuscules, quasiment non fonctionnelles, et par une paire de cornes horizontales au-dessus des yeux. Sa mâchoire était puissante et son museau très relevé logeait peut-être des organes nasaux très développés, laissant penser qu'il chassait à l'odeur, comme les chiens d'aujourd'hui.

32 Tyrannosaure
(dinosaure théropode)

Le tyrannosaure vivait il y a 65 millions d'années, à l'époque de l'extinction des dinosaures, en Asie et en Amérique du Nord. La réputation du fameux tyrannosaure serait peut-être très surfaite. Elle est fondée essentiellement sur une taille imposante, jusqu'à 15 m de long pour 6 m de haut, un poids de 7 t et une tête aux mâchoires impressionnantes armées de dents atteignant 15 cm de long. L'image classique le présente comme un superprédateur féroce capable de s'attaquer à n'importe quel herbivore. Certains paléontologues pensent au contraire que c'était un animal lourd aux gestes lents, tout juste bon à dévorer les charognes. Les théories les plus récentes en font un chasseur spécialisé de dinosaures à bec de canard.

33 Oviraptor
(dinosaure théropode; 2,50 m de long)

Encore une victime des idées reçues avec le tyrannosaure (32) ! L'oviraptor, qui vivait il y a 65 millions d'années à la fin du Crétacé, en Asie, doit son nom au fait que le premier squelette a été découvert à proximité d'un nid rempli d'œufs. Ayant la morphologie d'un carnivore typique, et vivant dans une région où les protocératops, des dinosaures herbivores, étaient nombreux, son découvreur en a conclu qu'il mangeait les œufs d'autres dinosaures et l'a ainsi baptisé « voleur d'œuf », *oviraptor.* Des théories plus récentes le réhabilitent : couvert de plumes, ce dinosaure aurait été à sang chaud et le spécimen trouvé aurait simplement couvé ses propres œufs. Pour l'instant, la question n'est pas tranchée et le débat continue, jusqu'à la prochaine découverte.

34 Gallimimus
(dinosaure théropode)

Avec ses 4 m de long, cet animal découvert dans les couches de la fin du Crétacé en Asie est le plus grand représentant du groupe des « dinosaures autruches », comme l'ont baptisé les paléontologues. En effet, d'une taille et d'une allure comparables à celles de cet oiseau, il semble qu'ils aient vécu à peu près de la même manière, coureurs à grandes pattes arpentant des steppes ou des savanes dégagées, vivant en groupes et surveillant leurs jeunes. En revanche, ce sont bien des carnivores, et non des végétariens comme l'autruche. Contrairement aux autres dinosaures autruches, le gallimimus n'a pas de pattes avant préhensibles, mais son museau allongé est terminé par un bec aplati. Certains paléontologues pensent qu'il devait déterrer les œufs d'autres dinosaures et les briser avec son puissant bec : l'oviraptor (33), c'est lui !

35 Tarbosaure
(dinosaure théropode)

Assez proche du tyrannosaure (32), le tarbosaure ne vivait qu'en Asie à la même époque, quand les dinosaures se sont éteints. Sa grande taille, 14 m de long pour environ 6 m de haut, le classe parmi les carnivores géants. Mais son allure massive et lourde ne lui permettait pas des mouvements vifs et rapides. Les spécialistes pensent que c'était probablement un opportuniste, dévorant les proies qu'il pouvait surprendre dans son environnement, les herbivores malades ou vieillissants, ou les cadavres rencontrés sur sa route ou disputés à d'autres dinosaures carnivores, à la manière des hyènes actuelles.

LES DESCENDANTS ET LES SUCCESSEURS DES DINOSAURES (ÈRE TERTIAIRE)

36 Archéoptéryx
(oiseau archéornithe)

L'archéoptéryx, long de 35 cm, est certainement le plus bel exemple de transition entre deux formes animales. Il présente en effet des caractères typiques à la fois des reptiles – queue articulée ou museau denté par exemple – et des oiseaux, avec des plumes et des pattes avant transformées en ailes. Il planait plutôt qu'il ne volait, mais la conquête des airs par les oiseaux était engagée. L'archéoptéryx descend d'une famille de petits dinosaures carnivores, ce qui fait des oiseaux les seuls descendants vivants des dinosaures. Mais ils ont longtemps vécu côte à côte, puisque l'archéoptéryx vivait en Europe au Jurassique, 80 millions d'années avant la disparition des derniers dinosaures.

37 Ichtyornis
(oiseau ichtyorniforme)

L'ichtyornis, « poisson-oiseau » en grec, vivait sur les côtes d'Amérique du Nord il y a 70 millions d'années, à la fin du Crétacé. C'était un oiseau accompli, ayant perdu presque tous les traits reptiliens de son ancêtre l'archéoptéryx (36), sauf les dents qui garnissaient toujours ses mâchoires déjà transformées en un long bec. Surtout, il volait parfaitement, avec un squelette suggérant une musculature puissante. Par sa taille, 20 cm de haut, et par son aspect général, il ressemblait aux sternes marines actuelles. Comme les squelettes ont tous été trouvés dans des dépôts marins, les paléontologues pensent qu'il se nourrissait de poissons pêchés dans la mer, d'où l'explication de son nom scientifique.

38 Hyracothérium
(mammifère équidé)

Il y a 55 millions d'années, au début de l'Éocène, ce premier ancêtre du cheval connu aussi sous le nom d'eohippus hantait les forêts de type tropical qui poussaient en Europe, en Asie et en Amérique du Nord. Sa taille était minuscule comparée à celle de ses descendants, puisqu'il ne dépassait pas 20 cm de haut au garrot pour 60 cm de long. Il possédait encore 4 orteils aux pattes avant et 3 aux pattes arrière, alors que les équidés actuels n'ont plus qu'un orteil fonctionnel à chaque pied. Ses dents ne lui permettaient que de mâcher les feuilles molles des arbres et des arbustes. Il s'est éteint une vingtaine de millions d'années plus tard en Europe et en Asie, et l'évolution des chevaux s'est poursuivie en Amérique uniquement.

39 Uintathérium

(mammifère ongulé)

Il y a 40 millions d'années, à la fin de l'Éocène, cet herbivore à l'allure générale de rhinocéros appelé aussi eobasilus était l'un des plus gros animaux terrestres vivant en Amérique du Nord. Il mesurait en effet 1,50 m de haut au garrot pour 3 m de long, avec des os massifs, des pattes épaisses et larges comme celles des éléphants actuels. Ses 2 canines supérieures, très développées, sortaient de la bouche comme de petites défenses et 6 protubérances osseuses ornaient le dessus de la tête. Elles étaient peut-être recouvertes de poils agglomérés, comme la corne des rhinocéros actuels, et servaient probablement aux mâles lors de combats rituels pour la domination du troupeau.

40 Diatryma

(oiseau gruiforme)

Le diatryma vivait il y a 50 millions d'années environ, au début de l'Éocène, en Europe et en Amérique du Nord. Avec ses 2 m de haut, cet oiseau était bien trop lourd pour voler. Ses ailes inutiles, d'ailleurs, étaient devenues minuscules. En revanche, ses pattes étaient puissantes, munies de fortes griffes, et sa grande tête portait un gros bec crochu. Les paléontologues ne sont pas d'accord sur son mode de vie. Certains pensent qu'il était carnivore, son bec lui permettant de dépecer ses proies. D'autres suggèrent qu'il était végétarien, apte à consommer les plantes les plus coriaces comme les herbes et les joncs.

41 Sarkastodon

(mammifère créodonte)

Il ne faisait pas bon se promener dans le centre de l'Asie il y a 40 millions d'années, à la fin de l'Éocène. C'était le domaine de mammifères gigantesques, et parmi eux un ancêtre des ours, le sarkastodon. Il atteignait 3 m de long, plus que les plus grands ours actuels. Ses dents étaient longues et puissantes, comme celles des grizzlis actuels. Il se différenciait de nos ours par sa longue queue poilue ressemblant à celle des chats. C'était un prédateur redoutable, mais son succès évolutif est probablement dû à sa capacité à varier son régime quand les grandes proies se faisaient rares, se rabattant sur de petites proies ou peut-être des végétaux.

42 Brontothérium

(mammifère ongulé)

Au début de l'Oligocène, il y a 35 millions d'années environ, l'imposant brontothérium paissait en troupeaux sur les premières pentes des jeunes montagnes Rocheuses, en Amérique du Nord, soumises alors à un volcanisme actif. Des troupeaux entiers ont été ensevelis sous les cendres lors d'éruptions, ce qui nous permet de très bien connaître cet animal. Sa stature imposante, 2,50 m de haut au garrot, fait apparaître bien petit par contraste le rhinocéros actuel, auquel il ressemblait par sa silhouette et son mode de vie. En effet, le bout du museau était orné d'une grande corne en forme de « Y ». Ses dents assez peu spécialisées ont fait dire aux paléontologues que, ne pouvant consommer que du feuillage tendre, il aurait vécu dans des régions boisées.

43 Glossothérium

(mammifère édenté)

Il y a 5 millions d'années, au Pliocène, la Californie avait déjà ses vedettes – bien avant l'industrie du cinéma – comme le glossothérium. C'était un gigantesque paresseux terrestre atteignant 4 m de long, avec une tête massive et une queue robuste. Comme ses cousins arboricoles, ses pattes étaient munies de fortes griffes tournées vers l'intérieur. Devenu terrestre, il marchait sur les jointures, mais ses griffes devaient lui servir pour porter le feuillage à sa bouche quand il se dressait sur ses pattes arrière pour brouter les arbustes des zones désertiques qu'il fréquentait. C'est du moins le régime alimentaire que laissent supposer les débris végétaux identifiés dans les crottes fossilisées qui lui sont attribuées.

LES ANIMAUX PRÉHISTORIQUES

44 Mammouth laineux

(mammifère proboscidien)

Le mammouth laineux, avec ses 2,70 m de haut, était le roi de la steppe glacée qui s'étendait à l'époque des glaciations sur la majeure partie de l'Europe, de l'Amérique du Nord et de l'Asie aujourd'hui tempérées. Et pourtant, il faisait figure de nain parmi les mammouths, puisque ses prédécesseurs en Europe de l'Ouest mesuraient jusqu'à 4,50 m de haut. Mais le mammouth laineux doit sa célébrité aux corps congelés retrouvés régulièrement dans la toundra sibérienne. Le mot « mammouth » est d'ailleurs issu d'une langue sibérienne. Les derniers mammouths se sont éteints il y a environ 10000 ans, victimes à la fois du réchauffement climatique, naturel à l'époque, et de la chasse excessive pratiquée par les hommes préhistoriques.

45 Rhinocéros laineux

(mammifère ongulé)

Long de 3,50 m, le rhinocéros laineux était presque aussi impressionnant que le mammouth (44) qui partageait les mêmes steppes glacées d'Europe et d'Asie. Sa morphologie et son anatomie sont également bien connues des paléontologues, car plusieurs cadavres congelés ont été trouvés en Sibérie. Ils ont permis de connaître sa fourrure épaisse, indispensable pour survivre dans les conditions climatiques difficiles qu'il affrontait, ainsi que la taille de ses cornes composées en partie d'une gaine de poils enchevêtrés. La plus grande corne, sur le bout du museau, pouvait atteindre 1 m de long chez les vieux mâles. Dessiné par les occupants de la grotte de Lascaux, le rhinocéros laineux a disparu à la fin de la Préhistoire pour les mêmes raisons que le mammouth.

46 Mégalocéros
(mammifère ongulé)

Ce cerf à cornes géantes était largement répandu en Asie et en Europe il y a quelques dizaines de milliers d'années. Il est souvent mais improprement appelé élan géant, car il est beaucoup plus proche des cerfs et surtout des daims que des élans. De nombreux restes ont été trouvés en Irlande, notamment dans les marais et les tourbières, mais il peuplait l'Ancien Monde jusqu'en Chine. Le mégalocéros mesurait 2,50 m de long pour un poids de 350 kg. Les bois à eux seuls pesaient 50 kg et certains atteignaient 3,70 m d'envergure. C'est d'autant plus remarquable que, comme chez les cerfs actuels, la ramure tombait et repoussait chaque année. Les derniers mégalocéros se sont éteints il y a 2500 ans en Europe centrale, à l'époque des Gaulois.

47 Ours des cavernes
(mammifère carnivore; 1,30 m au garrot, 3,50 m de haut dressé)

Très abondant dans toute l'Europe à l'époque glaciaire, cet ours échappait aux durs hivers de l'époque en hibernant dans les cavernes. C'est probablement là qu'il croisait le plus souvent la route des hommes préhistoriques qui lui disputaient ces abris. Il hibernait souvent en groupes. Dans une seule grotte alpine située en Autriche, les paléontologues ont retrouvé les restes de plus de 30000 ours des cavernes, la plupart morts durant leur sommeil hivernal. La littérature, la bande dessinée et le cinéma lui ont fait une réputation imméritée de prédateur de l'homme. En fait, c'était probablement un végétarien, activement chassé par les hommes préhistoriques qui utilisaient ses os dans leurs rituels religieux, ce qui explique en partie sa disparition.

48 Tigre à dents de sabre
(mammifère carnivore)

Malgré son nom, ce félin américain ressemblait plus à un lion par sa crinière ou à un lynx par sa courte queue qu'à un tigre. Son corps puissamment bâti, sculpté par une musculature impressionnante, mesurait 1,20 m de long. Ses mâchoires s'ouvraient à plus de 120 degrés pour permettre de dégager les gigantesques canines supérieures et pouvoir les planter dans le corps de sa proie. Les paléontologues pensent que ces dents exceptionnelles, au bord postérieur garni de dents comme une scie pour mieux déchiqueter les chairs, étaient une adaptation à la prédation des grands herbivores à peau épaisse comme les mammouths (44) ou les bisons nord-américains.

49 Aurochs

(mammifère ongulé ; 1,70 m au garrot)

L'aurochs, originaire d'Asie, se répandit à la fin des glaciations et il occupait à la fin de la Préhistoire la plus grande partie de l'Asie tempérée, de l'Europe et de l'Afrique du Nord. Ce fut un gibier très apprécié des hommes préhistoriques, puis des hommes historiques. Le dernier exemplaire connu fut tué en 1627 en Pologne, au cours d'une chasse royale. Si l'aurochs sauvage a fini par disparaître par excès de chasse, il survit dans les nombreuses races bovines issues de l'aurochs domestiqué il y a plus de 6000 ans au Moyen-Orient. Figuré sur les parois de certaines grottes préhistoriques ornées comme Lascaux, l'aurochs a fait l'objet d'une tentative, à la réussite controversée, de reconstitution à partir des races bovines considérées comme les plus primitives.

50 Moa

(oiseau struthiornithoforme)

Cousin des autruches, le moa a vécu jusqu'aux temps historiques en Nouvelle-Zélande. L'isolement de l'île pendant des dizaines de millions d'années, en l'absence de grands mammifères carnivores et herbivores, a laissé la place libre pour l'évolution de cet oiseau extraordinaire qui atteignait 3,50 m de haut pour la plus grande espèce. Il existait en effet une douzaine d'espèces différentes de moas. Les premiers hommes, venant de Polynésie, colonisèrent la Nouvelle-Zélande à partir du Xᵉ siècle de notre ère. Le défrichement des forêts et la chasse causèrent l'extinction des moas à la fin du XVIIIᵉ siècle. Quelques naturalistes pensent que le moa a peut-être survécu dans certaines zones isolées, mais les recherches n'ont rien donné jusqu'à présent.

Passionnés de fossiles

La recherche des fossiles est une activité passionnante, qui permet des découvertes surprenantes. Mais il ne faut pas oublier que les paléontologues tirent le maximum d'informations d'un gisement fossile en place. Bouleversé par des géologues amateurs qui se contentent de prélever les plus belles pièces dans un but de collection, il perd la plupart des informations qu'il aurait pu livrer.
Si la recherche des fossiles vous passionne, effectuez vos sorties dans le cadre d'une association. Vous serez encadré par des amateurs avertis et compétents qui vous permettront de vivre votre passion tout en apprenant beaucoup à leur contact et en appliquant les règles de bonne conduite que toute personne soucieuse de la préservation des richesses de son environnement se doit de respecter.